Mon plus grand mensonge

Catalogage avant publication de Bibliothèque et Archives Canada

Mercier, Johanne

Mon plus grand mensonge

(Le Trio rigolo ; 8)
Pour les jeunes de 10 ans et plus.

ISBN-13 : 978-2-89591-033-6

ISBN-10 : 2-89591-033-2

I. Cantin, Reynald. II. Vachon, Hélène, 1947- . III. Rousseau, May, 1957- . IV. Titre. V. Collection : Mercier, Johanne. Trio rigolo ; 8.

PS8576.E687M659 2006 jC843'.54 C2006-942039-4

PS9576.E687M659 2006

Dépôts légaux: 1er trimestre 2007
Bibliothèque nationale du Québec
Bibliothèque nationale du Canada
ISBN 978-2-89591-032-9

4339, rue des Bécassines
Québec (Québec) G1G 1V5
CANADA
Téléphone: (418) 628-4029
Sans frais depuis l'Amérique du Nord: 1 877 628-4029
Télécopie: (418) 628-4801
info@foulire.com

Les éditions FouLire remercient la Société de développement des entreprises culturelles du Québec (SODEC) pour son aide à l'édition et à la promotion.

Gouvernement du Québec – Programme de crédit d'impôt pour l'édition de livres – gestion SODEC.

Les éditions FouLire remercient également le Conseil des Arts du Canada de l'aide accordée à leur programme de publication.

IMPRIMÉ AU CANADA/PRINTED IN CANADA

Mon plus grand mensonge

AUTEURS ET PERSONNAGES :

JOHANNE MERCIER • *Laurence*
REYNALD CANTIN • *Yo*
HÉLÈNE VACHON • *Daphné*

ILLUSTRATRICE :

MAY ROUSSEAU

Le Trio rigolo

LAURENCE

*« Savoir mentir
est un art. Ceux qui
ne mentent jamais
n'ont pas cette
imagination débordante,
rapide et tordue
qui permet de trouver
les bonnes excuses
au bon moment. »*

Je n'ai jamais rien volé de toute ma vie. Je ne triche jamais quand je joue aux cartes. Ni pendant les examens. Pas même ceux de mathématiques. Si par erreur la caissière au magasin me redonne trop de sous, je les lui rends. Et au Monopoly, je ne prends jamais d'argent en douce, même quand je suis responsable de la banque. Il n'y a pas plus honnête que moi sur terre. Sauf que… la semaine dernière, pour me sortir du pétrin, j'ai un petit peu menti. Voilà. Je l'ai dit. Et maintenant que j'ai commencé, je vais tout vous raconter.

Imaginez le tableau: on est lundi matin. J'arrive à l'école plutôt de bonne humeur jusqu'à ce que je croise la grande Marie-Michelle, qui trimbale une boîte pleine de cartons roulés. Quand elle me demande si je suis prête, si je suis nerveuse et si j'ai apporté beaucoup de matériel, je sens qu'il y a un petit détail qui m'échappe…

– Qu'est-ce que tu veux dire ? Prête à quoi ?

– Prête pour ton exposé oral, Laurence. Tu présentes quoi ?

– Tu verras.

Je suis en état de choc. J'étais certaine qu'on avait encore une grosse semaine pour se préparer. Je n'ai rien fait. Absolument rien. Je rentre dans la classe sans parler à personne. Mathieu Vézina arrive avec un gros sac orange, Jull a l'air de transporter un petit objet précieux dans

le creux de sa main, Max relit ses notes et Myriam Saint-Arnaud tremble comme une feuille. Pas de doute, c'est le jour de la communication orale ! L'exercice compte pour 30 % de l'étape en français. Je cours tout droit vers la catastrophe. Il me faut trouver une excuse rapidement avant que la cloche sonne. Une excuse qui fera tout pardonner et qui reportera ma présentation d'une semaine sans problème. J'ai beau chercher, rien ne vient. Savoir mentir est un art.

Ceux qui ne mentent jamais n'ont pas cette imagination débordante, rapide et tordue qui permet de trouver les bonnes excuses au bon moment. Alors, quand la cloche sonne, quand monsieur Lépine nous dit que nous allons commencer les exposés, quand il s'assoit derrière la classe en nous rappelant qu'il évaluera l'intonation de la voix, la posture, la gestuelle, le vocabulaire et l'intérêt suscité par notre sujet, je ne me sens pas bien du tout, du tout.

La grande Marie-Michelle se porte volontaire pour briser la glace. Elle tient absolument à passer la première. Personne n'a d'objection, évidemment. Elle se place devant la classe, déroule ses grands dessins et nous parle avec passion du flamant rose. Oiseau qui lui ressemble, finalement. Ennuyeux comme la pluie, son exposé. Je voudrais qu'il ne se termine jamais. Mathieu Vézina est le suivant. Je peux encore respirer quelques minutes. Mathieu présente sa collection de monstres à coller qui, dans le sac à ordures orange, s'est transformée en collection de monstres à recoller. Mathieu déprime et bafouille. Monsieur Lépine baye aux corneilles et toute la classe rigole. Puis le hasard, qui ne fait pas toujours si bien les choses, me désigne, moi. Je me dis que peut-être le plancher va s'ouvrir sous mes pieds ou que le plafond va s'effondrer sur ma tête. Ce serait sans doute la meilleure chose qui pourrait m'arriver.

– Laurence, as-tu entendu ?

Je suis paralysée. Je n'ai pas le courage de répondre.

– Laurence ?

Je ronge l'ongle de mon pouce en fixant le tableau. Tout le monde me regarde. Tout le monde attend. Et comme monsieur Lépine commence à s'impatienter, je me tourne vers lui et je bafouille :

– Désolée, mais je… je peux pas.

Monsieur Lépine lève les yeux au ciel.

– On n'a pas préparé sa communication orale ? Humm ?

– C'est pas ça.

– On a le trac ?

– J'me sens vraiment pas bien. Est-ce que je peux aller boire un peu d'eau ?

Monsieur Lépine m'accorde un petit sursis. Myriam Saint-Arnaud vient présenter le tigre du Bengale et je sors de la classe. Je traîne mes pieds jusqu'à la fontaine. J'avale une gorgée d'eau tiède qui goûte le vieux tuyau et je m'assois sur le banc de bois dans le corridor. Je n'ai toujours pas de solution. Rien. Aucun moyen de m'en sortir. Monsieur Lépine va sûrement me donner un gros zéro. Et mes parents risquent de trouver que zéro, ce n'est pas beaucoup.

Je reviens en classe. Je n'ai pas le choix. Je dois affronter la réalité.

Avouer que je n'ai rien préparé. Que j'ai complètement oublié. M'excuser. Pleurer. Promettre que je vais me reprendre la semaine prochaine. Faire des travaux communautaires dans l'école, peut-être. Laver le tableau, balayer le plancher, aider le concierge, n'importe quoi pour me faire pardonner.

Je rentre en classe au moment où tout le monde applaudit Myriam Saint-Arnaud, qui est rouge comme une tomate et qui retourne à son pupitre en chancelant. Dure épreuve pour Myriam de parler devant la classe. Je la comprends tellement. Dure épreuve pour moi aussi. Imaginez quand je n'ai rien préparé...

– Bon, bon, bon, lance aussitôt monsieur Lépine en me voyant rentrer. Ça va mieux, ma Laurence ?

– Pas tellement, non.

– Qu'est-ce qui se passe ?

– Je sais pas. J'ai la tête qui tourne.

Cette fois, monsieur Lépine s'inquiète.

– Es-tu fiévreuse ? demande-t-il en se levant.

Il s'approche de mon pupitre, pose sa main sur mon front et déclare avec le ton d'un éminent spécialiste de la santé :

– Un peu chaud, effectivement. Va voir la secrétaire, Laurence. Demande-lui de vérifier ta température.

C'est trop beau pour être vrai. Je peux quitter la classe. Voilà ma chance. La secrétaire va téléphoner chez moi, je vais retourner tranquillement à la maison et préparer ma communication orale. Demain, je reviendrai en pleine forme pour faire ma présentation.

Surtout, ne pas oublier d'avoir l'air malade. Très malade. Ne pas montrer que je me sens déjà mieux à l'idée de partir. Pas facile. Je suis tellement soulagée. La solution est arrivée d'elle-même.

C'est bien la preuve qu'il ne faut jamais perdre confiance dans la vie, même quand une situation semble tout à fait désespérée. Je place ma tête sur mon pupitre. Comme si je ne pouvais absolument plus tenir.

– Marie-Michelle, peux-tu accompagner Laurence au secrétariat, s'il te plaît ?

– Moi ?

– Oui, toi.

Elle ne bouge pas.

– Y a un problème, Marie-Michelle ? demande monsieur Lépine, un peu irrité.

– C'est que…

– Oui ?

– J'ai peur du sang.

– Est-ce que tu vois du sang qui coule, Marie-Michelle ?

– Non, mais des fois…

Monsieur Lépine soupire bruyamment et demande à Gamache de m'accompagner. Certain qu'il ne fera pas d'histoires, lui, au moins.

– Moi ? bafouille Gamache.

– Quoi encore ? s'impatiente monsieur Lépine. T'as peur du sang aussi ?

– J'me sens vraiment pas bien, m'sieur.

– Voyons, qu'est-ce que vous avez aujourd'hui ? C'est bien compliqué !

– Moi, j'ai mal ici, ajoute Max, qui dissimule mal son sourire.

– C'est sûrement un virus..., marmonne Gamache.

– Ce serait plus prudent de fermer l'école ! déclare la grande Marie-Michelle, paniquée.

Tout le monde approuve l'idée de fermer l'école.

– Au moins une semaine !

– Minimum.

– Je peux aller boire de l'eau, m'sieur ? Je suis tout étourdi.

– Moi, je...

– ÇA SUFFIT !!! hurle monsieur Lépine. ASSEYEZ-VOUS ET TAISEZ-VOUS !

Le silence revient.

– Est-ce que quelqu'un a encore assez de forces pour accompagner Laurence au secrétariat ?

– Je vais y aller, répond Gamache, une main sur le front, l'autre sur le ventre. Je vais demander à la secrétaire qu'elle prenne ma température aussi.

– Guillaume Gamache, arrête de faire le clown, veux-tu ?

– Je vais lui demander des aspirines...

– Prendrais-tu une retenue avec tes aspirines ?

Je descends avec Gamache, qui avance péniblement. Son petit numéro est pas mal, mais je crois que je suis plus crédible. Plus subtile, peut-être ? Gamache continue de jouer le jeu du malade imaginaire avec moi. Il n'a pourtant pas à en faire autant. Je ne vais tout de même pas le dénoncer.

– Es-tu étourdie, toi? me demande Gamache avec une petite voix d'agonisant.

– Très.

– As-tu mal ici?

– Affreux.

– As-tu comme un point dans le dos avec des frissons partout?

– Exactement.

– Virus! On a le même.

– Probablement.

– Évidemment, la direction va attendre qu'on soit deux cent cinquante élèves sur le dos avant de parler d'épidémie!

– Qu'est-ce que tu veux, Guillaume, les profs, on dirait qu'ils nous croient jamais quand on est malades...

Jacqueline, la secrétaire, est débordée. Elle répond au téléphone, fouille dans un dossier et fait signe à un parent qu'elle s'occupe de lui dans une minute. Assise sur une petite chaise de bois, j'attends. Rien ne presse. Gamache attend aussi. Il n'oublie jamais de se tenir le ventre. Parfois il se tord et il se plie en deux.

Dommage pour lui, mais j'ai eu l'idée géniale de faire semblant d'être malade la première. Et puis, comme je suis toujours à mes affaires, que je suis sérieuse et que je remets mes travaux à temps, monsieur Lépine ne se doute de rien. Il me croit, moi. On ne peut pas en dire autant pour Gamache, le pauvre. Je suis certaine qu'il n'a pas préparé son exposé oral non plus. Je le connais. Et monsieur Lépine le connaît aussi. N'empêche, il est bon comédien, Gamache. Oscar du meilleur rôle de soutien masculin, peut-être?

Quand Jacqueline a enfin deux minutes, elle vient nous retrouver.

– Oui? Qu'est-ce que...

– On est malades! lui dit aussitôt Gamache.

– Vous êtes malades tous les deux?

– C'est une épidémie dans la classe de monsieur Lépine. On est à peu près dix-sept à se sentir mal. Les autres vont sûrement l'attraper si on ferme pas l'école.

Jacqueline a l'air sceptique, mais elle sort tout de même un thermomètre tout neuf de sa boîte et le place dans mon oreille. Le téléphone sonne, un livreur apporte du papier pour le photocopieur, un petit de maternelle arrive en saignant du nez et le parent qui attend depuis tantôt commence à s'impatienter. Bref, Jacqueline finit par m'oublier. Et je tiens le thermomètre en me demandant s'il y a un moyen de trafiquer les degrés.

Gamache et moi restons assis sagement jusqu'à ce que monsieur Lépine fasse un appel au secrétariat par l'interphone. Il veut savoir pourquoi Gamache n'est toujours pas revenu en classe.

– Il ne se sent pas bien, lui répond Jacqueline. Je vais prendre sa température.

– Dis-lui de monter immédiatement, s'il te plaît.

Gamache grimace mais obéit. Meilleure chance la prochaine fois, Guillaume. Jacqueline s'approche de moi, m'enlève le thermomètre, essaye de comprendre comment il fonctionne et me dit qu'elle va d'abord lire les instructions et qu'on n'a pas idée d'acheter un thermomètre qui coûte une petite fortune mais qui n'est même pas foutu de nous indiquer clairement si on fait de la fièvre. En fait, je pense qu'il manque simplement la pile dans le thermomètre. Mais je ne dis rien. C'est mon jour de chance. Jacqueline touche à mon front et déclare en experte, elle aussi :

– C'est vrai que ton front est chaud.

J'en profite pour en rajouter…

– J'ai très mal à la tête.

– As-tu déjeuné ?

– J'suis tout étourdie.

– Je vais téléphoner chez toi. Y a quelqu'un à la maison ?

Yahoooooou ! Difficile de ne pas sourire. De ne pas sauter de joie dans le secrétariat. En attendant de joindre mes parents, Jacqueline déplie une chaise longue pour que je puisse m'étendre un peu.

La belle vie.

Une heure et demie que je suis au secrétariat. Il fait tellement chaud... Autour de moi, tout le monde s'agite. Quelques-uns se sont inquiétés un peu, mais la plupart des gens m'ignorent. Je fais partie du décor. Couchée entre le photocopieur et la grosse armoire de métal grise, je m'ennuie. J'avais imaginé mon avant-midi plus reposant; chez moi devant la télé, en pyjama, avec une doudou, et ma mère qui me prépare un bouillon de poulet...

Le drame, c'est que Jacqueline n'a pas encore réussi à joindre mes parents. Ni à la maison ni au travail. Je me demande bien où ils sont passés. Et comme il n'y a personne au numéro en cas d'urgence non plus (ma grand-mère joue sûrement au bridge), je dois rester à l'école. Je n'ai pas le choix. J'ai beau dire à Jacqueline que je peux retourner chez moi toute seule, que j'ai la clé et que j'habite à deux pas, elle refuse. Le règlement l'interdit. L'école est responsable de moi. La belle affaire.

Parfois, le regard de Jacqueline me porte à croire qu'elle est sur le point de me retourner en classe. On dirait qu'elle a fini par douter de ma maladie. Rester couchée tranquillement ne suffit pas. Je pense qu'il est grand temps d'en mettre un peu. Et puis comme Jacqueline n'a jamais réussi à faire fonctionner le nouveau thermomètre et qu'elle n'a pas vraiment de preuve que je suis malade, je vais tenter un grand coup. Vas-y, Laurence. Montre tes talents d'actrice!

Je me redresse rapidement. Comme si une crampe me terrassait. Je me plie en deux et je pousse un cri. Pas un cri terrible. Une espèce de «Ouille!» assez fort pour inquiéter Jacqueline. Et je continue. Parfois, j'ai l'air d'avoir vraiment très mal et parfois, un peu moins. C'est un succès! Jacqueline s'approche de moi en vitesse et me demande d'où vient la douleur exactement. En lui donnant l'impression que je ne peux absolument pas parler, je lui indique mon ventre avec ma main et je me tords. Cette fois, Jacqueline a la frousse. Elle dit qu'elle a besoin de renforts et appelle de toute urgence madame Saint-Pierre, enseignante de première année qui a suivi son cours de secouriste, il y a cinq ans.

Et c'est, à ce que me raconte Jacqueline, le branle-bas au deuxième étage. Madame Saint-Pierre quitte sa classe en catastrophe et demande au prof d'anglais de surveiller ses élèves le temps qu'elle vienne me prodiguer les premiers soins mais, aussitôt que *mister* Smith tourne le dos à son groupe, c'est le fouillis total et l'orthopédagogue, qui ne peut plus se concentrer à cause du bruit infernal qui traverse le mur, abandonne ses trois élèves pour remettre un peu d'ordre dans le local d'anglais pendant que ses trois moineaux en profitent pour aller boucher les toilettes.

Madame Saint-Pierre arrive tout de même au secrétariat en souriant. Sourire nerveux. Elle jette un œil vers moi et je l'entends chuchoter à Jacqueline qu'elle aurait dû apporter ses notes de secouriste et qu'avec le stress on dirait qu'elle a tout oublié du cours de premiers soins.

Vous dire à quel point je suis contente de ne pas être malade.

Madame Saint-Pierre se penche vers moi, pose son oreille sur ma poitrine et annonce à Jacqueline que je respire normalement. Elle me place sur le côté et demande qu'on m'apporte une couverture. Elle connaît les premiers gestes à poser en cas d'urgence. Je retiens un fou rire. N'empêche que si elle s'aventure à me faire un massage cardiaque, j'avouerai tout, c'est certain.

– Est-ce que tu m'entends bien, Laurence ? demande madame Saint-Pierre.

– C'est comme si votre voix était loin…

– Reste calme, dit-elle, tout énervée. Étends-toi !

– Je suis déjà couchée, madame Saint-Pierre.

– Tu vois combien de doigts ?

– En tout ?

– Montre-moi exactement où ça fait mal.

– Difficile… ayoye… à dire.

Ma voix est saccadée et faible. J'ai vraiment l'air souffrante.

– As-tu des douleurs au ventre ?

– Oui.

– Plus à droite ?

– Oui.

– Comme une brûlure ?

– Exactement.

– Nausée ?

– Oui.

– Peux-tu marcher ?

– Je pense pas.

Madame Saint-Pierre se jette sur le téléphone.

– Faut faire vite ! La p'tite nous fait une péritonite, annonce-t-elle à Jacqueline.

– Tu penses ?

– C'est arrivé à ma belle-sœur au jour de l'An. Elle a failli trépasser. On l'a sauvée juste à temps. Je fais venir une ambulance.

Une ambulance ? Est-ce que j'ai bien entendu le mot « ambulance » ?

Madame Saint-Pierre n'hésite pas une seconde. Elle fait le 911 et donne l'adresse de l'école. Elle vient rapidement s'agenouiller à côté de moi.

– Je vais t'accompagner à l'hôpital, ma belle fille. Tout va bien aller.

La situation n'est vraiment pas drôle, tout à coup. Je n'ai plus le choix, je dois leur dire la vérité ! Je n'ai absolument pas l'intention de terminer ma journée à l'urgence.

– Je... je veux pas aller à l'hôpital, madame Saint-Pierre.

– Tut-tut-tut. On va prendre soin de toi.

– J'ai plus besoin d'y aller. Je vous l'jure.

– Donne-moi ta main, ma chouette ; si tu as trop de douleur, tu peux serrer fort.

Je serre sa main. Pas de douleur, mais de panique. Qu'est-ce que je fais ? J'avoue tout ? Je ne peux pas partir en ambulance ! D'un autre côté, je ne peux pas avouer que je ne suis pas malade non plus. Je suis allée trop loin. Ça m'apprendra à mentir. Je suis prise au piège.

Cette fois, la directrice arrive en catastrophe, demande une suppléante pour la classe de madame Saint-Pierre, annule l'activité de Saint-Valentin que cette dernière devait animer en après-midi et téléphone au plombier pour déboucher les toilettes au deuxième.

Je les regarde. Un regard désespéré. Je vais tout avouer.

– Madame Saint-Pierre ?

– Chuuuuuuut. Économise tes forces, ma chouette.

– C'est parce que... on dirait que j'vais mieux.

– Ça ne veut vraiment pas dire que tu es hors de danger, crois-moi.

– Est-ce qu'elle fait beaucoup de fièvre ? demande la directrice.

– On reparlera du nouveau thermomètre plus tard, bougonne Jacqueline.

Madame Saint-Pierre pose sa main sur mon front et déclare :

– Elle est bouillante !

Normal : j'ai tellement chaud. J'ai tellement honte, aussi. Je dois prendre mon courage à deux mains et tout avouer vite fait.

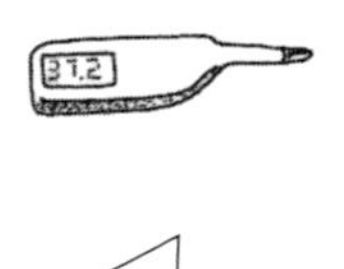

Les ambulanciers sont au secrétariat et je n'ai encore rien dit. Ils prennent ma tension artérielle, vérifient mes réflexes, examinent la pupille de mes yeux et me posent des tonnes de questions. Jacqueline tente toujours de joindre mes parents. Et pendant que les ambulanciers déplient rapidement la civière, à l'interphone, on entend monsieur Lépine qui panique.

– JACQUELINE !

– Oui ?

– Code rouge !

– Code rouge ?

– J'ai un élève qui vient de s'évanouir dans ma classe.

– Un autre qui est malade ?

– J'pense que les élèves ont raison, Jacqueline. On est en présence d'un méchant virus.

Et comme mon malaise s'est, par miracle, dissipé, je dis à madame Saint-Pierre que je cède ma place à Gamache, qui fait une appendicite aiguë et qui part en ambulance de toute urgence.

Voilà.

Vous savez tout. Je ne suis vraiment pas fière de moi.

Maintenant, je vous demande de ne pas ébruiter l'affaire. Cette histoire doit absolument rester entre nous, vous comprenez ? S'il fallait que monsieur Lépine apprenne la vérité…

Ah oui, pour ceux qui s'inquiéteraient : Gamache va mieux. Je lui ai apporté des chocolats à l'hôpital. Il m'a dit qu'il était content de voir que je m'en étais sortie aussi.

– Qu'est-ce que tu avais, toi, Laurence ? Un virus ou quoi ?

Je n'ai rien répondu. J'ai avalé trois chocolats.

FIN

YO

« – Ça m'tente pas
de faire d'la planche
tout seul. Est-ce que je peux
aller garder Steve avec toi?
À deux, ce serait…

Ré ne me laisse pas
finir ma phrase.

– Oui, Yo, super!
À deux, Steve,
on va en faire rien
qu'une bouchée! »

Tout a commencé par un coup de téléphone…

DRING ! Je saute sur l'appareil. C'est Rémi, j'en suis sûr.

– Allô !

– Yo ? C'est Ré.

Comme vous savez, Ré et moi, on parle vite. Pas de temps à perdre. Droit au but ; c'est notre devise.

– Quand est-ce qu'on part ? je lui demande.

– On part pas, qu'il me répond.

– Comment, on part pas ?

– Faut que j'garde Steve.

– C'est qui, ça, Steve ?

– Mon p'tit cousin. Sa gardienne veut plus rien savoir.

– On était supposés faire d'la planche au parc ! Il fait beau soleil, là. C'est l'été en plein automne. Le *skate* achève. Faut en profiter !

– J'sais ben, Yo, mais Bill est mort…

– Bill ! C'est qui, ça, Bill ?

– Son chien.

– Le chien de Steve ?

– Non, le chien de sa mère… ma tante Rita. Son chien est mort.

– Pis ?

– Faut que j'garde Steve toute la journée.

– Pourquoi ?

– L'enterrement de Bill.

– L'enterrement du chien ? ! Pourquoi ta tante l'enterre pas dans sa cour ?

– Tu connais pas ma tante Rita, toi, ça paraît. Bill, c'était son deuxième enfant. Elle va être partie toute la journée...

– Pourquoi elle emmène pas son Steve avec elle à l'enterrement ?

– Tu connais pas Steve, toi, ça paraît...

Tout à coup, il y a un long silence au téléphone. C'est à mon tour de parler et je ne sais pas quoi dire. Je dois choisir. La planche ou Ré. C'est là que tout s'est joué.

– Ça m'tente pas de faire d'la planche tout seul. Est-ce que je peux aller garder Steve avec toi ? À deux, ce serait...

Ré ne me laisse pas finir ma phrase.

– Oui, Yo, super ! À deux, Steve, on va en faire rien qu'une bouchée !

– Une bouchée ! Comment ça ?

– Ben… euh… tu connais pas Steve.

Et c'est ainsi qu'a débuté une des plus folles aventures de ma vie. Je vous la raconte.

Devant chez Ré, j'attends sur le trottoir en faisant de la planche. Il fait très beau, une vraie journée d'été… peut-être la dernière.

« Faut pas la perdre ! » que je me dis.

Soudain, une luxueuse Mercedes s'immobilise tout près. Un chauffeur, maigre et sinueux comme un serpent, en descend. Il contourne la voiture, s'arrête devant moi. Il enlève sa casquette.

– Vous êtes bien monsieur Yohann ? prononce-t-il d'une voix sans expression.

– Euh… oui.

Ses cheveux noirs, collés sur sa tête, sont luisants. Il a les joues creuses et la lèvre supérieure boursouflée. Sa peau est pâle comme la mort. On dirait qu'il n'a jamais vu le soleil.

– Je m'appelle Casimir.

« Casimir le vampire ? » j'ai envie de demander.

– Je suis le chauffeur de madame Rita. J'ai ordre de vous amener chez elle afin que vous preniez soin de monsieur Steve.

– Ré s'en vient. Ce sera pas long.

– Non, justement. Monsieur Rémi ne viendra pas. Tenez…

Une main squelettique me tend un minuscule téléphone cellulaire. Hésitant, je saisis l'appareil. Je le porte à mon oreille.

– Ré, c'est toi ? Qu'est-ce qui s'passe ? T'es où, là ?

– Écoute, j'ai un gros problème. J'peux pas aller garder avec toi.

– Comment ça ?

– J'ai la picotte.

– La picotte ?

– Oui, la varicelle… très contagieux. Je le savais pas tantôt, quand on s'est parlé. C'est ma mère qui a failli perdre connaissance quand elle m'a vu la face. Regarde en haut.

Je lève les yeux et j'aperçois Ré, debout à la fenêtre de sa chambre, un téléphone à la main... Il a le visage plein de boutons!

– Steve pourrait l'attraper, m'explique-t-il. Toi aussi, d'ailleurs. J'peux pas y aller. Maman a téléphoné à tante Rita. La pauvre femme est aux abois. Elle veut pas manquer l'enterrement de son Bill. Faut que tu y ailles à ma place. Son chauffeur va t'amener, et il va te ramener chez vous après.

– Mais je...

– Rends-moi service, Yo. Et puis, tante Rita est riche... elle paie bien.

– Mais Steve?

– Je suis sûr que tu vas être plus fort que lui. Le truc, avec Steve, c'est que ça lui prend de l'action. Beaucoup d'action... T'aimes ça, l'action, non?

– Ben… oui.

Devant moi, Casimir a ouvert la portière arrière de la Mercedes, m'invitant à monter. Les yeux dans le vide, un peu courbé, il attend. Je ne sais plus quoi dire.

Je jette un dernier regard aux « picots » de Ré à la fenêtre. On dirait qu'il a reçu une rafale de pépins de pomme en pleine poire. C'est à ce moment-là que je me suis enfoncé dans cette histoire incroyable. J'ai dit au cellulaire :

– D'accord, Ré. J'y vais. Mais tu vas m'en devoir une.

– Oui, Yo, toute une.

Sur ce, je ferme le cellulaire et le glisse dans la main maigre que me tend le croque-mort. Armé de ma planche, mais un peu hésitant, je monte dans la voiture et m'assois sur la banquette de cuir.

La portière se referme sur moi... comme celle d'un corbillard.

Une demi-heure plus tard, je quitte la ville. Aussitôt, le ciel devient gris et les couleurs disparaissent avec le soleil. Le vent se met à secouer les arbres le long de la route. C'est l'automne tout d'un coup. Tu parles !

Sous sa casquette de chauffeur, Casimir ne bouge presque pas. Ses mains osseuses touchent à peine le volant. Ses yeux exorbités sont rivés sur la route. Son teint est gris comme le paysage dehors. Ne sachant quoi dire, je fixe une montagne lointaine. Ma planche serrée entre les genoux, je me demande bien ce qui m'attend là-bas, chez la tante Rita.

La luxueuse automobile s'immobilise enfin devant une très ancienne maison, au bout d'un chemin désert. C'est une maison étrange, comme on en voit dans les films d'horreur, avec des feuilles mortes qui tourbillonnent autour, des arbres maigres qui tendent leurs bras au vent et des nuages menaçants au-dessus.

Imperturbable, Casimir descend, louvoie le long de la Mercedes et vient m'ouvrir. Il a des yeux noirs et vides qui ne me regardent jamais.

Pas très rassuré, je descends à mon tour. Je ne lâche pas ma planche. J'ai l'air fin : un chemin de terre ! Pas un pouce d'asphalte. Pas terrible pour la planche. Des éclairs silencieux illuminent l'horizon, au loin.

– Suivez-moi, monsieur Yohann.

Le chauffeur s'éloigne sur le trottoir aux tuiles craquelées qui mène à l'immense maison. Je le suis. Je me sens bien petit dans ce décor sinistre.

Sur la galerie de bois, devant la porte d'entrée, une dame élégante attend. Son visage est caché dans l'ombre des rebords d'un grand chapeau. Elle porte un manteau dont les longs pans s'ouvrent parfois, soulevés par le vent, laissant s'engouffrer quelques feuilles mortes. En dessous, j'ai l'impression d'entendre cliqueter des colliers… ou des bracelets.

Le chauffeur s'arrête au pied de l'escalier, enlève sa casquette et se courbe pour saluer. Malgré le vent, ses cheveux luisants restent plaqués sur son crâne. Son corps dessine un grand « S ». Je remarque qu'il a les oreilles pointues. Sur la galerie, la dame, d'une voix autoritaire, prononce :

– Casimir, allez m'attendre dans la voiture, j'arrive tout de suite.

Sans un mot, le chauffeur glisse sa tête de mort sous sa casquette, pivote sur ses talons et retourne en flottant vers la Mercedes. On dirait qu'il ne touche pas le sol.

Après un moment de silence, la dame s'avance sur la galerie qui craque. En haut de l'escalier, elle s'arrête puis se penche au-dessus de moi. Du fond de l'ombre de son grand chapeau, elle m'observe.

– Tu es Yohann, je présume. L'ami de Rémi.

– Oui… Vous pouvez m'appeler Yo.

– Yo ! C'est original.

Elle se redresse. Sous son manteau, le cliquetis des colliers et des bracelets se fait encore entendre. On dirait des os qui s'entrechoquent. Au même moment, un coup de vent soulève les rebords de son chapeau et je vois son visage...

Des lèvres noires et fines s'ouvrent sur des dents jaunes. Ses yeux, minuscules, sont maquillés à gros traits. Sur ses joues ridées flottent deux nuages de poudre rose. Elle a les cheveux de la même couleur que ses dents.

– Suis-moi, Yo.

Derrière tante Rita, dans le grand corridor central de sa maison, je ne lâche pas ma planche. Il faudrait peut-être que j'enlève ma casquette, par respect? Pas question! Je ne lâche pas ma casquette non plus.

– Il a quel âge, Steve ? je demande, pour détendre l'atmosphère.

Tante Rita se retourne vivement vers moi. Sur ses lèvres pincées, elle pose un index noueux surmonté d'un ongle violet et crochu. De son autre index, elle m'indique une chambre.

– Chut ! As-tu envie de le réveiller ?

– Euh...

– Tu es chanceux : Steve dort encore. Ça se comprend, il n'a pas fermé l'œil de la nuit.

– Il a rien qu'un œil ? je demande, pour rire.

Heureusement, tante Rita n'a pas entendu ma blague. On ne rigole pas avec Steve. J'allais l'apprendre assez vite.

Nous voilà dans la cuisine.

J'ai l'impression de me retrouver dans le laboratoire d'une sorcière. Quel capharnaüm ! Partout, il y a des étagères et des armoires accrochées aux murs. On dirait que tout est croche. Sur les tablettes surchargées, des contenants divers et poussiéreux, des conserves de toutes sortes, des bouteilles opaques et transparentes, une variété infinie d'épices et de condiments tiennent de justesse en équilibre. Au milieu de tout ça, sous une batterie de cuisine noircie et suspendue au plafond, trônent une vieille cuisinière et un frigo d'un autre âge. Leur poids fait ployer le plancher. Sur la table, au centre de la pièce, il y a un bout de papier.

Au même moment, un éclair traverse la fenêtre au-dessus du grand évier. Presque immédiatement, un coup de tonnerre ébranle la maison tout entière. À la fois aveuglé et assourdi, je recule.

– Je dois maintenant partir pour les funérailles, annonce tante Rita, qui ne semble pas avoir entendu la foudre. J'ai tout écrit sur la feuille, là, sur la table.

Nous revoilà sur la galerie. Le vent s'est arrêté et une pluie torrentielle s'abat maintenant avec fracas sur la maison et les alentours. Au bas de l'escalier, le regard vide, Casimir attend sous un grand parapluie noir et ruisselant. Au-dessus de nous, la toiture de tôle résonne tellement sous l'averse que j'ai peine à entendre les dernières consignes de la tante Rita.

– Il faut bien s'occuper de mon Steve. Il n'est pas facile. Mais il y a un truc qui marche toujours : de l'action, beaucoup d'action. Il est un peu hyperactif.

– Rémi m'a déjà expliqué.

– Tu vas voir, c'est un bon petit gars…

En prononçant ces mots, le visage de la dame se contracte. On dirait qu'elle va pleurer.

– Ne vous inquiétez pas, madame, je lance. Je vais bien m'en occuper, de votre petit Steve. Je vais jouer avec lui et…

Ses grimaces ne font qu'augmenter.

– Qu'est-ce que vous avez, madame ? je demande, inquiet.

– Je m'excuse, Yohann. Je viens d'avoir une pensée pour mon pauvre Bill. Quel chien magnifique c'était ! Pendant vingt ans, il a défendu la maison. Il a même sauvé la vie de Steve, une fois.

Puis, en un instant, tante Rita reprend contenance.

– Bon, allez, Casimir, montez. Vos souliers sont pleins d'eau. Vous allez attraper froid. Il faut partir, maintenant.

Comment ce croque-mort pourrait-il attraper froid ? On dirait qu'il n'a même pas de sang dans les veines.

Imperturbable, le zombi gravit les marches. À chaque pas, ses souliers rejettent l'eau accumulée. *Splouish ! Splouish !* Je m'écarte. Silencieux comme la mort, Casimir se glisse près de tante Rita. Le grand parapluie les couvre tous les deux. Ensemble, ils descendent sous la pluie battante, puis s'éloignent vers la Mercedes fumante, qui les attend au bout de l'allée.

J'ai alors pensé que tous les monstres avaient quitté la demeure. Je me trompais. Il en restait un. Vous allez voir.

Consterné, je regarde la limousine disparaître sous l'averse.

Soudain, un violent trait de lumière fend le ciel et percute le cylindre d'un transformateur accroché au bout d'un poteau, non loin. Explosion. Grésillement. Quelques flammes… qui s'éteignent aussitôt.

Au même moment, je ressens une douleur vive à la cheville.

– Aïe !

Je me retourne et je me retrouve devant… Steve !

Vision de cauchemar! Le gamin brandit une épée en bois et porte un bandeau qui lui couvre l'œil gauche... Il n'a qu'un œil! Et il a le même sourire que sa mère, mais en pire. Il lui manque une dent! Derrière lui, toute la maison s'est éteinte. Panne électrique générale!

Je n'ai pas le temps de réfléchir. L'épée en avant, le garnement fonce sur moi. Le bout m'atteint à l'estomac. Le souffle coupé, je me plie en deux. Quand je relève la tête, j'aperçois son petit œil brillant qui me regarde grimacer.

Triomphant, il lance:

– À l'abordage!

Puis il se retourne et disparaît en glapissant sa victoire dans l'ombre de la maison. Frustré, je saute sans penser sur ma planche et fonce derrière lui, dans le corridor. Je roule jusque dans la cuisine. D'un pied, je soulève le nez de ma planche et la saisis d'une main.

La cuisine est vide. Personne.

Plus sombre que jamais, la pièce est illuminée par un autre éclair. Le tonnerre, immédiat, fait vibrer tous les contenants sur les tablettes. Une bouteille, tombée de je ne sais où, se fracasse sur la cuisinière et répand son contenu verdâtre sur le plancher de bois. Une petite fumée nauséabonde s'élève à l'endroit où le liquide s'est répandu. Je cours à l'évier, ouvre le robinet et remplis un verre qui se trouvait là. Je jette l'eau sur le plancher fumant et... *pouish!* tout s'arrête.

Je me retourne. Je regarde autour de moi. Rien n'a bougé. Malgré la pénombre, tout semble bien à sa place. Mais je suis habité par un drôle de sentiment... désagréable. J'ai l'impression que quelque chose a changé... ou n'est plus à sa place...

Le papier! Il n'est plus là! Le papier que tante Rita avait préparé pour moi, avec les consignes pour garder Steve... Il a disparu! Et voilà qu'une nouvelle impression s'ajoute, plus désagréable encore: le sentiment d'être observé.

– Steve? je demande timidement.

Seule la pluie battante me répond en poursuivant son assourdissant tambourinage avec une intensité accrue sur le toit de la maison.

– Steve! je lance, un peu plus fort.

Au même moment, une ombre furtive traverse le corridor. Immédiatement, je reconnais la silhouette caractéristique de mon mini-pirate, qui disparaît dans sa chambre et referme doucement la porte.

Je m'avance dans le corridor. Le plancher craque. Malgré le fracas de la pluie, j'ai l'impression que toute la maison craque. Délicatement, j'appuie une oreille sur la porte de la chambre. Impossible d'entendre quoi que ce soit. Avec précaution, j'approche la main de la poignée... je serre la poignée... je tourne la poignée...

C'est bizarre, elle glisse sous mes doigts.

Soudain, je comprends :

– Beurk !

Vivement, je retire ma main. Elle est couverte d'une crème visqueuse. Je l'approche de mon nez.

– Pouah !

Écœurant ! J'empeste le diable.

Je cours à la cuisine, où je repère une serviette accrochée près de l'évier. Mais dans ma précipitation, je mets le pied sur ma planche à roulettes, qui est propulsée violemment vers la cuisinière. Je bascule sur le dos, sonné. Au même moment, j'entends un bruit épouvantable.

Je me relève péniblement... et je vois l'étendue des dégâts.

Ma planche a cassé une des pattes de la cuisinière. L'autre patte a immédiatement cédé et l'immense appareil a basculé vers l'avant. J'entends le plancher craquer dangereusement sous ce poids énorme. Tout va s'écrouler!

Je n'ai pas le temps de penser. Une lumière aveuglante illumine la pièce... et le tonnerre explose au même instant, suivi d'un incroyable tintamarre. Je ferme les yeux de toutes mes forces et je me bouche les oreilles. C'est fou la grimace que je dois faire.

Finalement, quand j'ouvre les yeux, je me rends compte que la cuisinière a disparu au grand complet. Il ne reste qu'un trou béant au-dessus duquel dansent quelques casseroles et poêlons qui sont restés suspendus. À côté, le réfrigérateur, un peu penché, menace de basculer dans le vide.

Vous allez me dire: «C'est impossible!» C'est justement ce que je me serais dit si j'avais été capable de réfléchir. Mais devant le réfrigérateur en équilibre

instable au bord du gouffre, je ne peux que rester là, bêtement, la tête vide et les yeux ronds. Seule une phrase pouvait me sortir de ma torpeur:

– C'est maman qui va être contente!

Je me retourne. Dans la porte qui donne sur le corridor, le petit Steve me regarde, l'œil plus victorieux que jamais. Et pendant que j'ai le dos tourné, le réfrigérateur en profite pour aller retrouver la cuisinière électrique, en bas, dans la cave, accrochant au passage les derniers morceaux de la batterie de cuisine encore suspendus.

BONG! DONG! BEDONG! C'est comme un carillon qui sonne le glas derrière moi. Je ne me retourne même pas. Des pistolets me sortent des yeux. Je vais le fusiller, ce Steve de malheur!

«Tu veux de l'action, mon petit... eh bien, tu vas en avoir! De toute façon, cette maison est un bateau qui coule. La galerie et le garde-fou, autour, c'est le pont et le bastingage. La cheminée, c'est le grand mât. C'est décidé, je vais t'attacher au paratonnerre et te faire avaler ton épée ! »

Pendant que ces gentilles pensées me traversent l'esprit, je me rends compte que Steve a aperçu mes deux pistolets. Il tente de se sauver ! Je bondis vers lui, mais je glisse sur le liquide gluant et puant que j'ai répandu sur le plancher, tantôt, en tombant. Ré ne m'avait pas dit qu'il fallait porter un casque pour garder Steve ; je me cogne le front sur le sol.

Mes pistolets deviennent des canons. J'ai la tête lourde. Je me relève péniblement, le temps de voir Steve disparaître encore dans sa chambre…

Au moment de foncer vers lui, une idée m'arrête: «Stop, Yo! Du calme! Respire par le nez. T'as *pété une coche*, c'est pas grave. Si tu te détends, tu vas en venir à bout.»

Tête basse, je me dirige vers l'évier et saisis la serviette. Je m'essuie les mains et le dessous des espadrilles. J'essuie ensuite le plancher pour que tout soit bien propre quand tante Rita va revenir. Évidemment, le grand trou, ça, je ne pourrai pas le réparer. Je dirai que c'est la faute de Steve.

J'aperçois alors un ancien téléphone accroché au mur. Je décroche. Aucun son. Évidemment, lui aussi est mort. Je laisse tomber le combiné au bout de son fil et je m'avance maintenant vers la chambre. Avec la serviette, je nettoie méticuleusement la poignée. J'accumule de l'énergie… et du courage.

Je prends une profonde inspiration et je frappe enfin. Toc, toc, toc !

– Steve, ouvre-moi. Je suis Yohann. Tu peux m'appeler Yo. Je suis très, très, très gentil et on va jouer ensemble, tous les deux. À n'importe quel jeu. Celui que tu voudras.

Même si j'ai encore envie de lui tordre le cou, j'attends patiemment sa réponse. Mais elle ne vient pas. Et je frappe encore… un peu plus fort.

BOUNG ! BOUNG ! BOUNG !

– Steve, je sais que tu es là. Tu n'as rien à craindre.

Pas un mot. Je pense qu'il ne me croit pas. Et il a bien raison.

– La feuille de ta maman, celle que tu as prise sur la table de la cuisine, redonne-la-moi, veux-tu ? Je dois savoir quoi faire pour te garder.

J'attends encore pendant de longues secondes. Soudain, sous la porte, une feuille glisse à mes pieds. Je me penche. Ma main s'arrête. Je me méfie.

Finalement, je la ramasse. Sur la feuille, il y a un dessin. C'est une tête de mort avec deux os entrecroisés, comme sur les drapeaux de pirates. Le crâne me tire la langue !

Je serre les dents, et je frappe encore plus fort. BANG ! BANG ! BANG !

– Steve, c'est pas drôle ! Ouvre cette porte tout de suite !

BANG ! BANG ! BANG !

– Ouvre, je te dis, ou je défonce !

La porte reste muette.

– Bon, tu l'auras voulu.

Décidé, je recule pour prendre mon élan. Je m'appuie sur le mur de l'autre côté du corridor et je pousse de toutes mes forces. En deux pas, je m'écrase sur le battant et... BANG! j'entends un craquement, mais je me retrouve assis au milieu du corridor.

La porte a résisté à mon premier assaut. Mais elle a faibli.

Cette fois-ci, elle va céder, je le sens. Je me relève. Je rajuste ma casquette sur ma tête. Je retourne appuyer mon pied au bas du mur, de l'autre côté. Je me penche afin de bien frapper au niveau de la poignée.

Un pas, deux pas, je fonce la tête baissée, l'épaule en avant... et la porte s'ouvre à la dernière seconde! Je ne peux m'arrêter. En trois autres pas, je franchis toute la chambre et plonge à travers la fenêtre qui se fracasse. Emporté par mon élan, je roule sur la galerie, dehors, et j'arrache tout un pan du garde-fou, ainsi que deux des colonnes qui soutiennent le toit.

Assis dans la vase sous la pluie battante, je reprends mes esprits. Avec difficulté, je me relève. Par la fenêtre fracassée de la chambre, j'entrevois, au cœur de la maison, la silhouette triomphante de Steve, la main posée sur la poignée de la porte ouverte de sa chambre. Dans la pénombre, je vois même briller son œil malin.

Mais cette étincelle ne dure qu'une seconde. Aussitôt, un éclair aveuglant s'abat sur la maison. TCHAK! La cheminée explose et l'édifice tout entier est secoué jusque dans ses fondations. Il pleut des briques autour de moi. Dans la cuisine, les fioles de Rita la sorcière tombent de leurs tablettes et se fracassent sur le plancher qui se met à se désintégrer sous tous ces puissants acides. Devant moi, le toit de la galerie s'effondre et tous les murs extérieurs de la maison s'écroulent sur le petit Steve, qui disparaît sous mes yeux.

J'assiste, impuissant, à la catastrophe.

Soudain, sous les décombres fumants, j'entends un faible appel de Steve :

– Biiiiiiiiill !

Derrière moi, un rugissement féroce retentit. Je me retourne. Un énorme pitbull galope dans ma direction, gueule ouverte, crocs sortis.

Il bondit sur moi ! Il va m'arracher la tête ! Je me penche et le molosse se retrouve sur le toit effondré de la galerie, visiblement enragé. Avec ses puissantes mâchoires remplies de bave, il saisit de grosses poutres et les lance au loin. Avec ses pattes herculéennes, il rejette tous les débris qui le gênent et se fraie un chemin sur la galerie, jusqu'à la fenêtre de la chambre de Steve. Puis il disparaît dans l'ouverture.

Pendant un long moment, c'est le silence. La pluie tombe toujours, mais avec moins d'intensité. Tout est devenu calme soudain. Plus rien ne bouge et une idée saugrenue me traverse l'esprit en regardant l'étendue des dégâts : « C'est la tante Rita qui va être contente. » Et je me mets à rire, à rire…

Quand enfin mon fou rire s'arrête, il ne pleut presque plus et j'entends un drôle de chuintement du côté de l'entrée principale de la maison. Je m'approche et, au pied de l'escalier, qu'est-ce que je vois ?

Couché sur ma planche à roulettes tout écorchée, le petit Steve dort

paisiblement, un pouce dans la bouche. À côté, doux comme un agneau, Bill gémit en me regardant avec ses grands yeux mouillés. Avec une patte, il berce le mini-pirate, pendant qu'au-dessus de la maison détruite, un arc-en-ciel se déploie.

Voilà l'histoire que j'ai racontée à Steve quand je suis allé le garder la semaine passée. Évidemment, rien de tout cela n'est vraiment arrivé. Ce n'est qu'un immense mensonge que je viens de vous dire…

Parce que la vérité, la voici…

Ré avait la picotte. Il ne pouvait pas aller garder Steve. Alors je l'ai remplacé. Sa tante Rita m'avait laissé un mot sur un papier:

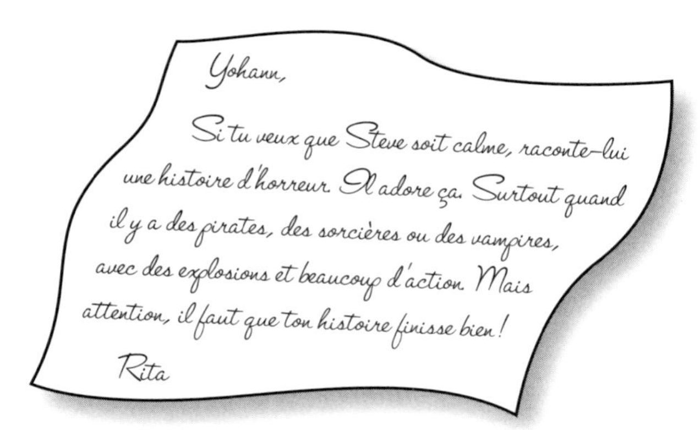
Yohann,

Si tu veux que Steve soit calme, raconte-lui une histoire d'horreur. Il adore ça. Surtout quand il y a des pirates, des sorcières ou des vampires, avec des explosions et beaucoup d'action. Mais attention, il faut que ton histoire finisse bien !

Rita

Pendant toute mon histoire, Steve m'a regardé comme si ce que je racontais était vrai... un peu comme vous. Puis, la tête bien enfoncée dans son oreiller, un pouce dans la bouche, il s'est endormi paisiblement...

En passant, rassurez-vous, il a ses deux yeux et toutes ses dents, même si c'est un petit monstre...

En silence, j'ai fermé la porte de sa chambre. Je me suis dirigé vers la cuisine. J'ai sorti un carton de lait du réfrigérateur et, sur la cuisinière, je me suis fait un bon chocolat chaud. Dans une armoire, j'ai trouvé un pot de biscuits. Puis je me suis installé à table et j'ai mangé avec appétit.

Deux heures plus tard, tante Rita revenait de sa soirée mondaine, accompagnée de son mari, Casimir.

Ah ! j'ai oublié de vous dire : j'ai aussi gardé leur caniche… Bill !

Devant moi, la classe est médusée. Certains applaudissent. Je pense que quelques-uns n'ont pas encore compris ce qui se passe. Ré, au fond, me regarde avec des yeux ronds. Mon prof de français se lève et s'approche de moi.

– Bravo, Yohann ! Quelle histoire !

– Merci, madame Taillefer.

– Comment tu as eu ton idée ?

– Ben… quand vous nous avez demandé de raconter une histoire qui nous était arrivée, je savais pas quoi faire. Juste dire que j'avais gardé un « paquet de nerfs », ça aurait été plate. Alors j'ai décidé de vous raconter l'histoire que j'ai inventée pour l'endormir.

– En tout cas, nous, on ne t'a pas trouvé endormant ! Tu nous as bien eus. Quel menteur tu fais ! Félicitations !

Et elle s'approche pour me serrer la main.

– Non, madame ! Faut pas me toucher !

– Pourquoi ?

– J'ai peut-être la picotte…

DAPHNÉ

« Voyons, Désirée ! Un gars qui remarque même pas que tu t'es fait teindre en bleu et que ta tête a triplé de volume, mais qui peut te réciter mot pour mot le vingt-quatrième chant de l'Odyssée, si c'est pas un écart, qu'est-ce que c'est ? »

Ma sœur Désirée est amoureuse. Pour ceux qui la connaissent déjà, la nouvelle n'a rien d'extraordinaire. Être amoureuse est le passe-temps préféré de ma sœur. Désirée a dix-sept ans et, en dix-sept ans, elle a eu plus d'amoureux qu'une personne normale en quatre-vingt-douze.

Malheureusement, cela ne dure jamais longtemps. Désirée est une amoureuse d'un soir. Je ne sais pas ce qui se passe mais, du jour au lendemain, tout change. Le garçon a beau être aussi beau que la veille, avoir les mêmes qualités, le lendemain il n'est plus que l'ombre de lui-même, un sombre crétin sans le moindre attrait. À la maison, nous préférons que Désirée soit amoureuse, parce que quand elle ne l'est pas, c'est la catastrophe : elle est de mauvaise humeur, ne mange pas, ne parle pas, dort tout le temps et, quand elle ne dort pas, elle lit des revues de mode ou des romans à l'eau de rose qui racontent des histoires d'amour sans lendemain.

Désirée est donc amoureuse, comme à son habitude. Mais contrairement à son habitude, elle n'a pas l'air de vouloir rompre.

L'heureux élu s'appelle Jean. À la maison, on ne retient jamais les noms des amoureux de Désirée pour la simple raison qu'ils ne restent jamais assez longtemps pour qu'on ait le temps de leur parler. Mais Jean, lui, a l'air de durer. Il est venu deux fois de suite chez

nous et, croyez-moi, on ne peut pas en dire autant des autres.

Jean est donc là, Jean mange à notre table, Désirée et lui vont au cinéma, Jean apporte des livres à Désirée, Désirée les dépose sur la table en souriant comme s'il s'agissait de bonbons ou de CD.

Jean aime les livres. Il dit que la lecture crée un lien fort entre deux personnes. Alors il veut tout savoir : si Désirée a aimé le livre, ce qu'elle en pense, ce qu'elle en a compris, ce qu'elle n'aime pas, pourquoi, etc., etc. Il n'en revient tout simplement pas de la vitesse à laquelle ma sœur lit tout ce qu'il lui apporte, ce qui fait qu'il en apporte toujours plus.

Jean aime les livres et il aime ma sœur. C'est une anomalie en soi. Je ne sais pas lequel, de lui ou de Désirée, est le plus à plaindre.

* * *

À présent, je sais : c'est moi qui suis le plus à plaindre. Car les livres, c'est moi qui les lis, bien entendu. Ceux qui me connaissent un peu auront évidemment compris que la lectrice rapide, c'est MOI, pas Désirée. Pour que ma sœur n'ait pas l'air complètement idiote quand vient le moment d'en parler avec Jean, je lis les livres à toute vitesse pendant la nuit, je lui en fais le résumé le plus simple possible et, le soir venu, ma sœur régurgite le tout devant un Jean béat d'admiration.

Ceux qui me connaissent sauront aussi que j'aime infiniment Cyrano de Bergerac, Cyrano amoureux de Roxane qui lui préfère le niais et beau Christian. Cyrano aime tellement Roxane qu'il accepte de prêter son talent au beau et niais Christian et compose pour lui des lettres d'amour à couper le souffle que

Christian régurgite ensuite devant une Roxane béate d'admiration.

Ce que je fais là n'est pas très différent: je lis les livres que Jean apporte à Désirée parce que ma sœur n'est pas capable de les lire aussi vite et parce que je ne veux pas que Jean abandonne Désirée et que l'atmosphère devienne irrespirable à la maison.

Sauf que Désirée, elle n'y arrive pas. Vraiment pas.

* * *

– C'est quoi, un talon d'Achille ?

Ma sœur me regarde, l'air découragée.

– Jean dit que l'école, c'est mon talon d'Achille.

Je lui rends son regard découragé.

– Il n'a pas complètement tort, Désirée.

– Alors, c'est quoi, le talon ? C'est qui, Achille ?

– C'est le point le plus vulnérable d'une personne, sa faiblesse, si tu préfères.

Soupir dégoûté de Désirée.

– C'est quoi le rapport avec le talon ? Une faiblesse, ça peut pas être un talon !

Soupir patient de Daphné.

– À sa naissance, la mère d'Achille l'a plongé dans le Styx pour le rendre invulnérable.

Ma sœur ouvre des yeux ronds.

– Styx, Désirée. Pas *stick*. Le Styx, c'est un fleuve, pas un bâton de charcuterie en carton. Comme il fallait bien que sa mère le tienne pour l'empêcher de se noyer, elle a maintenu Achille par les talons, ce qui fait que seuls les talons n'ont pas été immergés. Ni protégés.

C'est d'ailleurs à la suite d'une blessure au talon qu'Achille est mort.

– Quelle idée de tremper un bébé la tête en bas... C'est complètement idiot.

Deuxième soupir de Daphné. Depuis que Jean fait lire *L'Iliade* à ma sœur, je n'ai plus une minute de repos. Désirée redevient subitement joyeuse.

– Ce soir, on fête l'anniversaire de notre rencontre, dit-elle, rêveuse. Tu te rends compte, Daphné ?

– Un anniversaire, en général, on fête ça chaque année, pas chaque mois. Ça fait juste un mois que vous êtes ensemble.

– Mais dans notre cas, un mois, c'est comme un an.

Les jours passent, les livres se multiplient, je lis nuit et jour, Désirée régurgite du mieux qu'elle peut. Cela donne parfois lieu à des quiproquos surprenants, quand Désirée confond deux histoires, oublie la fin ou se trompe de personnage.

Jean se doute de quelque chose. Quand Désirée a l'air perdue, je vole à son secours et je me mêle à la discussion. Jean n'en revient pas que je lise, moi aussi, tous les livres qu'il apporte à Désirée et, surtout, que je les lise aussi vite.

Moi non plus, je n'en reviens pas.

* * *

Je n'en reviens pas que Jean vienne de moins en moins à la maison et, quand il vient, qu'il passe de plus en plus de temps à discuter livres avec moi. Moi qui ai lu *L'Iliade* au grand complet, qui connais la guerre de Troie comme pas une et qui n'aurais jamais l'idée de prendre le Styx pour un salami.

Désirée nous regarde en souriant, l'air indulgent. Elle attend que Jean ait fini de parler et la rejoigne, s'intéresse de nouveau à elle.

Et ça, voyez-vous, je ne le supporte pas. Parce qu'on dira ce qu'on voudra, ma sœur, elle ne régurgite pas si mal que ça.

* * *

Désirée traînasse dans ma chambre. Moi, je lis *L'Odyssée*. Jean ne désarme pas, c'est une lutte à finir entre ma sœur et lui. Après *L'Iliade, L'Odyssée*. Il sait à présent que ma sœur ne comprend pas tout ce qu'elle lit, alors il la met à l'épreuve et lui prête des livres de plus en plus difficiles.

– Qu'est-ce que tu veux, Désirée ?

– Rien.

Quand ma sœur répond qu'elle ne veut rien en se tordant la cheville et en regardant par terre, c'est qu'elle veut quelque chose. Je n'ai pas mon pareil pour deviner ma sœur.

– Jean ne vient pas ce soir ?

Elle fait non en secouant la tête. Ses boucles virevoltent autour de son crâne. Ses nouvelles boucles. Ses grosses boucles. Ses cheveux, d'habitude si lisses, se sont transformés en une espèce de magma bleu métallique, genre laine d'acier galvanisé, qui lui fait une tête énorme. Jean n'a rien remarqué, il aurait dû.

– Laisse-le, Désirée. Ce gars-là n'est pas pour toi.

Elle lève sur moi des yeux embués et ne dit rien.

– Qu'est-ce qui t'arrive, sapristi ? D'habitude, tu les gardes jamais plus de quelques heures, tes amoureux ! Viens pas me dire que tu aimes ses conversations ?

– Ses conversations, non.

– *L'Odyssée*, ça te passionne à ce point ?

– *L'Odyssée*, non.

– Ben alors ? Si on n'aime pas parler avec quelqu'un, qu'est-ce qu'il reste ?

– Tout le reste, Daphné.

Une larme hésite au bord des cils, tombera, tombera pas.

– À ton âge, tu devrais comprendre ça, Daphné.

Je repense à Roméo, à son amphithéâtre d'ivoire blanc. La forme de sa bouche, je la connais par cœur, je l'ai fixée dans ma mémoire pour l'éternité.

– Ouais ! Si on veut.

Un sourire illumine le visage de Désirée.

– Avec Jean, c'est pas pareil.

– À qui le dis-tu ! Tes autres copains savaient même pas lire.

Elle n'entend pas, elle est ailleurs.

– J'aime... quand il s'approche, quand il est loin et qu'il s'approche...

Elle fait une pause, n'ose pas trop continuer, le veut pourtant. Elle est un peu essoufflée.

– ...quand je sais qu'il s'approche et qu'il n'a pas encore commencé à parler, qu'il ne m'a pas encore offert un de ses fichus livres, comprends-tu ?

– Ouais. C'est après que ça se gâte.

– Bien avant qu'il soit tout près, je sens sa chaleur, son odeur... Je ferme les yeux et j'attends. Les secondes s'étirent, j'attends, je sais que ça s'en vient, qu'il va me toucher, j'attends et... et je suis bien.

Il y a un petit silence gêné, comme quand les gens abandonnent d'un coup leurs réserves et déballent tous leurs secrets. Je suis gênée mais soulagée. Parce que je viens enfin de découvrir le véritable talent de ma sœur : ma sœur est une amoureuse-née. Je suis contente de ma découverte parce qu'en douze ans, des talents, je ne lui en ai pas trouvé beaucoup, à Désirée.

– Et pourquoi il vient pas ce soir ?

Je pose la question mais je connais la réponse.

– Il étudie, répond Désirée avec une moue dégoûtée.

Ce n'est pas la bonne réponse.

Je hoche la tête et je pense aux jours à venir. Il y a de fortes chances pour que je n'aie plus à faire de marathons de lecture et que mes nuits soient de nouveau consacrées au sommeil. Je me demande comment Jean va s'y prendre pour signifier à Désirée qu'entre eux, c'est terminé.

– Il étudie tout le temps, marmonne Désirée.

C'est vrai qu'il étudie, mais ce n'est pas la bonne réponse.

Je me demande comment Désirée va prendre la nouvelle.

Je me demande comment sera l'atmosphère à la maison.

Je me demande si je finirai *L'Odyssée*.

Je me demande si je vais accepter l'invitation de Jean.

Ma sœur sourit toujours, la mine rêveuse, en enroulant autour de son index gauche l'une de ses monstrueuses boucles bleues.

– Daphné !

Je ne me retourne pas ; Jean court derrière moi, sa pile de livres sous le bras.

J'aime quand il s'approche, a dit Désirée, *quand il est loin et qu'il s'approche...*

– Daphné !

Bien avant qu'il soit tout près, je sens sa chaleur, son odeur…

– Hé ! Ho ! Daphné !

Je ferme les yeux et j'attends. Les secondes s'étirent, j'attends, je sais que ça s'en vient, qu'il va me toucher, j'attends et… et je suis bien.

Jean me rattrape, je m'arrête, il dit :

– T'es sourde ou quoi ? Je t'appelle depuis tout à l'heure.

– Je suis pas sourde.

Je me remets à marcher, vite.

– J'ai pas le temps de te parler, je suis pressée.

– T'es pas venue, hier ?

– Non.

– Tu aurais dû.

Il me suit comme il peut, attend une réponse qui ne vient pas.

– Je t'ai attendue.

Je m'arrête, je regarde son cou, ses épaules, ses mains. Je regarde tout ça et je pense à ma sœur Désirée qui attend, elle aussi.

Jean s'approche et je pense encore à Désirée qui est tellement loin. Il hésite un moment, s'approche encore, puis recule. J'ai la gorge sèche, je regarde mes souliers. Il me tend les livres.

– Pour Désirée ?

– Pour toi, répond Jean.

Je ne dis rien, je ne sais pas quoi dire, je pense à Roméo et tout s'emmêle dans ma tête, la bouche de Roméo, les mains de Jean, ses belles mains remplies de livres. La bouche non plus n'est pas mal, vraiment pas mal. Je refuse de regarder ses yeux. Ils sont verts avec des cils noirs. Tellement verts, tellement noirs. On n'a pas idée. Les boucles de Désirée sont bleues. Je refuse d'y penser.

* * *

– Aux grands maux, les grands remèdes!

– Qu'est-ce que tu veux dire? demande Désirée.

– Tu vas lui écrire.

– Lui écrire? Qu'est-ce que tu veux que je lui écrive?

– Toi, rien. C'est moi qui vais le faire.

– Toi? Pourquoi?

Chère Désirée !

– Parce que si c'est toi qui lui écris, il va déguerpir à toute vitesse et tu le reverras jamais, ton Jean.

– T'exagères pas un peu ?

– Non.

Elle me regarde. Je dis plus doucement :

– Il faut qu'elle soit belle, ta lettre, Désirée. Il faut qu'elle dise quelque chose.

– Oui, mais quoi ?

– Il faut qu'elle dise à Jean que tu tiens à lui.

Elle réfléchit, quelque chose cloche. Puis elle me jette un regard oblique.

– Comment tu vas faire ? Comment on peut écrire une lettre d'amour à quelqu'un qu'on n'aime pas ?

J'avale de travers, je m'étouffe.

– Qu'est-ce qui t'arrive ?

– Rien… (je tousse, je crache). Rien du tout.

– C'est vrai que toi, tu peux écrire sur n'importe quoi, même sur les choses que tu connais pas.

– Comme tu dis, Désirée. Je peux écrire sur n'importe quoi, même sur les choses que je connais pas !

– Mais les sentiments, c'est pas pareil, décrète Désirée, soupçonneuse.

Il y a un autre silence. Gêné, lui aussi. Presque tous les silences sont gênés.

– Les sentiments, ça se commande pas.

– Non, mais je peux toujours essayer, Désirée. Tu jugeras par toi-même si la lettre est convaincante ou non.

Elle soupire, hausse les épaules.

– Après tout, j'ai rien à perdre.

– Comme tu dis, Désirée.

* * *

À minuit, je me suis levée et je suis sortie. Comme une adulte. Parce que je n'arrivais pas à dormir. Comme les adultes. Je suis sortie sans me soucier de ce que mes parents diraient. Je me fichais qu'ils se réveillent ou pas. Je me fichais de tout. Désirée dormait dans la chambre voisine de la mienne et, rien que ça, ça me faisait mal : Désirée qui dort à minuit passé, ce n'est pas normal. Désirée ne dort jamais à minuit passé parce que Désirée, elle aime beaucoup et, pour les gens qui aiment beaucoup, les nuits ne sont pas faites pour dormir.

J'ai marché pendant une heure au moins, je n'ai pas compté. J'ai marché, un point c'est tout. Je n'ai même pas pensé aux rôdeurs qui rôdaient, aux dangers qui guettaient, à toutes les choses qui auraient pu arriver. Toute ma pensée était occupée par ce problème qui était le mien et, quand on a l'esprit occupé, c'est comme si une barrière vous préservait de tout, pas vrai ? C'est comme si on était invisible, comme si toute l'énergie du monde était concentrée en vous et vous coupait du monde. Je n'ai rien vu, rien entendu, j'ai marché, un point c'est tout.

* * *

Quand je suis rentrée, la maison était plongée dans l'obscurité et le silence. Je me suis assise à mon bureau et j'ai écrit à Jean. Une longue lettre dans laquelle je lui dis qu'il n'y a rien de possible entre nous. C'est un mensonge, il y aurait tout plein de choses possibles entre nous, des choses qui n'auront pas lieu. J'écris comme l'aurait fait Cyrano mais à l'inverse. J'écris par personne interposée pour lui dire qu'il n'y aura rien entre nous. Je lui dis que j'ai bien apprécié tout ce qui a eu lieu, nos discussions sur les livres et le cinéma, nos passions communes, je lui dis que j'ai préféré *L'Odyssée* à *L'Iliade*, mais qu'entre nous, il y a trop d'écart. Je ne précise pas de quel écart il s'agit parce que je sais qu'il comprendra. Je lui écris que j'aurais bien aimé si... si... et si, mais que non. Je ne lui dis pas que je l'aime parce que je ne sais pas encore si je l'aime. Parce que je n'ai que douze ans et que je ne sais vraiment pas.

Et je signe : Désirée.

J'éteins la lumière et je me couche dans la maison silencieuse. Je m'endors avec, dans la tête, l'image d'Ulysse qui vient d'aborder à Ithaque, Ulysse épuisé, vieilli, métamorphosé en mendiant, Ulysse sur le point d'anéantir tous les prétendants de Pénélope.

Je pense à Pénélope qui va bientôt retrouver Ulysse, mais qui ne le sait pas encore. Qui ne sait pas encore qu'elle est sur le point d'être heureuse.

* * *

– C'est pas ça que tu devais écrire, explose Désirée, pas ça du tout !

Elle est hors d'elle, ses cheveux bleus ébouriffés se gonflent de plus belle.

– J'ai réfléchi, Désirée. Et je crois que c'est mieux comme ça. C'est pas un garçon pour toi. Il faut rompre.

Désirée se laisse tomber sur le lit et chiffonne la lettre.

– Qu'est-ce que tu en sais ?! Qu'est-ce que tu connais à l'amour ?

– Rien.

– Tu disais qu'il fallait écrire une belle lettre, une lettre d'amour, pas une lettre de rupture !

– Si c'est pas toi qui le laisses, ça va être lui.

Elle se cache la figure dans les mains.

– Il m'aime, je le sais.

– Il vaut mieux arrêter tout de suite, je t'assure.

– Pas question !

– Il vient de moins en moins à la maison, il t'évite.

– Il étudie, balbutie Désirée.

– C'est toujours toi qui les laisses, tes copains. Personne t'a jamais laissée, toi. Il faut que ça continue, pas vrai ?

L'argument a du poids, c'est indéniable. Désirée redresse la tête, puis les épaules. On n'est plus très loin de la victoire.

– Tu crois ?

– Oui.

Elle laisse passer un temps, déplie la lettre, la lisse avec sa main, la relit, fait la moue.

– Trop d'écart, trop d'écart... on n'avait pas tant d'écart que ça.

– Pas tant d'écart que ça ? Voyons, Désirée. Un gars qui remarque même pas que tu t'es fait teindre en bleu et que ta tête a triplé de volume, mais qui peut te réciter mot pour mot le vingt-quatrième chant de *L'Odyssée*, si c'est pas un écart, qu'est-ce que c'est ?

Elle lisse toujours la feuille, l'air songeuse.

– Il va falloir la recopier, Désirée. Attention aux fautes, c'est pas le moment d'en faire, hein ? J'ai ma réputation.

Gaffe !

– Comment ça, ta réputation ? s'étonne Désirée. C'est moi qui signe.

– Euh… oui, c'est toi. Mais il faut finir en beauté, c'est tout ce que je veux dire. Tu as juste à copier, Désirée. Juste copier. Sans rien ajouter. Rien de rien.

J'attends un moment.

– Je peux la relire après, si tu veux. Au cas où.

On a beau être soulevé par l'émotion, ce n'est pas une raison pour faire des fautes d'orthographe.

– Tu penses qu'il a une autre copine ? s'inquiète tout à coup Désirée.

– Je sais pas. Peut-être.

– J'aimerais bien la voir, il a jamais eu de goût !

– Ah bon ?

– Avant moi, je veux dire.

– Ah bon !

– Ouais ! T'aurais dû voir les filles qui m'ont précédée. Des vrais manches à balai. Des intellos, tu vois le genre ?

– Un peu, oui.

– Le genre de fille avec lequel on peut rien faire d'autre que parler, parler, parler... Comme s'il y avait que ça, parler !

– C'est pas si mal. J'aime bien, moi.

– Je sais vraiment pas ce qu'il leur trouvait, marmonne Désirée.

– ...

– Il sait pas ce qu'il perd.

– Sûrement pas, non.

– Tiens !

Je regarde toujours par terre, mais un peu moins bas. Mon regard hésite, consent à monter tout doucement vers la lumière, mais s'arrête au cou. Le cou, le bas du visage, la bouche de Jean. Je lui tends sa pile de livres. Il les prend, se penche.

– Tu les as tous lus ?

Je fais oui. Mes yeux se posent un moment sur les yeux verts avant de repartir ailleurs.

– Si vite ?

– Oui.

Puis il arrive ce qui arrive toujours quand on ne sait ni que dire ni que faire. La bouche de Jean sourit en silence, ma bouche à moi est pleine de mots qui refusent de sortir, ce qui revient un peu au même.

– Tu les as aimés ?

– Oui.

Silence.

– Mon préféré, c'est *L'Odyssée*. Surtout l'histoire du Cyclope. Un Cyclope avec un œil crevé, c'est pas mal.

– Pas mal, répète Jean.

– C'est ce qu'on appelle être aveugle, pas vrai ?

– Vrai.

Nouveau silence.

– C'était pas nécessaire de me les rendre si vite, dit Jean.

– C'est mieux comme ça.

Il regarde par terre à son tour, fait des ronds avec ses pieds.

– Je peux t'en apporter d'autres, si tu veux.

– Je crois pas, non.

Je lève les yeux et le regarde enfin. Je le regarde une fois pour toutes. Un premier et dernier vrai regard. Je le regarde sans cligner des yeux, même si la lumière est éblouissante.

Il s'approche et je n'arrête pas de le regarder, il s'approche encore, hésite un peu comme l'autre jour, effleure ma joue de sa main libre, hoche la tête, sourit, s'en va.

* * *

Désirée est allongée près de moi dans le noir. Elle a écrit la lettre et l'a mise à la poste. Jean la recevra demain ou après-demain.

Tout à l'heure, un garçon s'est présenté à la maison. Désirée est allée répondre, elle l'attendait. Elle nous l'a présenté. Il s'appelle Antoine, j'ai retenu le nom au cas où on le reverrait. Antoine. Il souriait en regardant Désirée. Il a dit qu'il aimait ses cheveux, que le bleu allait bien avec son teint. Ils ont échangé des CD et ils sont sortis ensemble.

Et à présent, elle est là, à mes côtés. Elle a troqué sa chambre pour la mienne, comme chaque fois qu'elle commence un nouvel amour. Ma sœur est une amoureuse, une vraie.

Dans le noir, je dis :

– Ils étaient verts, ses yeux, hein, Désirée ?

Vague grognement.

– Verts, oui, répond la voix ensommeillée de Désirée.

– Et puis ses cils. Tu te souviens de ses cils ?

– Cécile ? C'est qui, Cécile ?

– Ses cils, pas Cécile.

Cette fois, Désirée se tait. Dans l'ombre, j'entends, je sais qu'elle tourne la tête vers moi.

– Noirs. Tellement noirs, j'insiste.

Je revois leur courbe, leur épaisseur, la façon qu'il avait de cligner des yeux.

– T'as déjà vu des cils rouges ? demande brutalement Désirée.

Elle s'est redressée. Sa voix est très claire, plus du tout ensommeillée.

– Et puis il a pas les yeux verts, Antoine, il a les yeux bruns, presque noirs. C'est Jean qui avait les yeux verts… Tu mélanges tout, ma vieille !

Elle étouffe un bâillement, se retourne, se rendort.

C'est vrai que je mélange tout, les yeux verts d'Ulysse, la bouche de Roméo, les mains de Jean, ses belles mains remplies de couteaux et d'histoires sans fin, mon cœur qui part au triple galop comme tous ces prétendants qui fuient la vengeance d'Ulysse, périssent l'un après l'autre dans une mare de sang.

Désirée dort à mes côtés. Sa respiration est lente et régulière.

Fin

www.triorigolo.ca

Pour t'amuser à des jeux originaux spécialement conçus à partir du monde du Trio rigolo

Pour partager des idées et des informations dans la section *Les graffitis*

Pour lire des textes drôles et inédits sur l'univers de chacun des personnages

Pour connaître davantage les créateurs

Et pour découvrir plein d'activités rigolotes

Le Trio rigolo

AUTEURS ET PERSONNAGES :

JOHANNE MERCIER – LAURENCE

REYNALD CANTIN – YO

HÉLÈNE VACHON – DAPHNÉ

ILLUSTRATRICE : MAY ROUSSEAU

1. Mon premier baiser
2. Mon premier voyage
3. Ma première folie
4. Mon pire prof
5. Mon pire party
6. Ma pire gaffe
7. Mon plus grand exploit
8. Mon plus grand mensonge
9. Ma plus grande peur
10. Ma nuit d'enfer (printemps 2008)
11. Mon look d'enfer (printemps 2008)
12. Mon Noël d'enfer (printemps 2008)

www.triorigolo.ca

Série Brad

Auteure : Johanne Mercier
Illustrateur : Christian Daigle

1. Le génie de la potiche
2. Le génie fait des vagues

www.legeniebrad.ca

Mes parents sont gentils mais...

1. Mes parents sont gentils mais...
   tellement menteurs !
   ANDRÉE-ANNE GRATTON

2. Mes parents sont gentils mais...
   tellement girouettes !
   ANDRÉE POULIN

3. Mes parents sont gentils mais...
   tellement maladroits ! (automne 2007)
   DIANE BERGERON

4. Mes parents sont gentils mais...
   tellement dépassés ! (automne 2007)
   DAVID LEMELIN

ILLUSTRATRICE : MAY ROUSSEAU

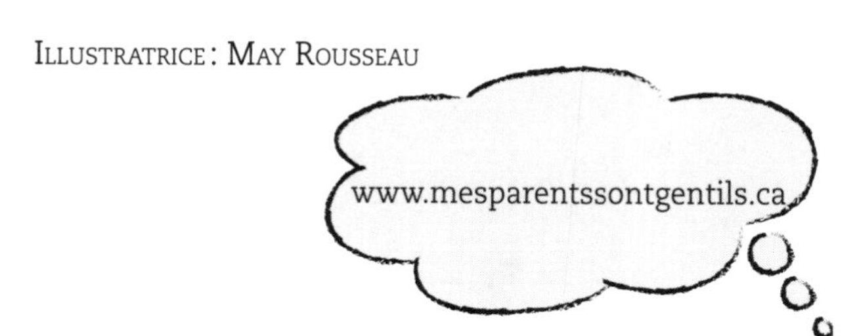